Vivir en la Tierra

GUÍA PRÁCTICA

Si este libro le ha interesado y desea que lo mantengamos informado de nuestras publicaciones, escríbanos indicándonos cuáles son los temas de su interés (Autoayuda, Espiritualidad, Qigong, Naturismo, Enigmas, Terapias Energéticas, Psicología práctica, Tradición...) y gustosamente lo complaceremos.

Puede contactar con nosotros en
comunicación@editorialsirio.com

De Stefano, Matías

Vivir en la tierra. - 1a ed. - Buenos Aires : Editorial Sirio, 2012.

96 p. ; 21x14 cm.

ISBN 978-950-9183-29-2

1. Metafísica. I. Título

CDD 110

Diseño de portada: Editorial Sirio, S.A.

EDITORIAL SIRIO, S.A.
C/ Rosa de los Vientos, 64
Pol. Ind. El Viso
29006-Málaga
España

EDITORIAL SIRIO
Nirvana Libros S.A. de C.V.
Camino a Minas, 501
Bodega nº 8,
Col. Lomas de Becerra
Del.: Alvaro Obregón
México D.F., 01280

ED. SIRIO ARGENTINA
C/ Paracas 59
1275- Capital Federal
Buenos Aires
(Argentina)

www.editorialsirio.com
E-Mail: sirio@editorialsirio.com

I.S.B.N.: 978-950-9183-29-2
Impreso en PRINTING BOOKS
Mario Bravo 835, Avellaneda
Febrero 2012
Impreso en Argentina. Printed in Argentina.

Matías De Stefano

Vivir en la Tierra

GUÍA PRÁCTICA

editorial Sirio, s.a.

PRÓLOGO

Mi nombre es Matías Gustavo De Stefano. Nací en agosto de 1987, en Venado Tuerto, Argentina. Soy uno de los niños nuevos que nacieron a partir de ese año para traer y anclar la nueva conciencia, como uno de los tantos trabajadores, organizadores y guías de este comienzo de era, de esta transición que todos estamos viviendo.

Como mi labor es guiar a las almas que no están centradas aún en la Tierra, mis guías y yo hemos determinado que cuanto haga sobre la tierra, debe estar relacionado con la educación. Pero la forma y el contenido de la educación de hoy, arcaica y tan poco integrativa, me llevó a dejar mis estudios de psicopedagogía y comenzar con la educación social encaminada a aquello que la gente más necesita: organizar sus verdades.

Desde los seis años tengo recuerdos de pasados muy remotos, dentro del Tiempo y del No-Tiempo, y nunca supe bien para qué servían, ya que muchos hablaban de estos temas y mucho más detalladamente de lo que yo podría haberlo hecho. No obstante, cuando a los diecisiete años comencé a hablar a otros de lo que recordaba, me di cuenta que muchísima gente estudiosa o afín a temas universales, me lanteaba cuestiones muy simples, con dudas sobre temas muy sencillos, desde qué es la cuarta dimensión, a cuál es la diferencia entre espíritu y alma, asuntos que mucha gente, leyendo incluso a grandes canalizadores actuales, no lograban aún discernir. Entonces comprendí cuál era la razón por la cual mis guías me permitieron recordar, a mi manera, todo aquello que rondaba en mi cabeza desde pequeño... Ahora tomé la decisión de llevar estas frecuentes dudas a un pequeño libro, a fin de ayudar a organizar todas estas verdades.

INTRODUCCIÓN

Este libro fue una idea propuesta por mucha gente que me presentó dudas sobre temas relativamente sencillos, incitándome a escribir las respuestas en un libro para que, de este modo, pudieran tenerlas en sus manos.

Esto es una simple guía práctica que intenta aclarar fundamentos básicos para aquellos que están realizando su aprendizaje y sus deberes en este planeta y que aún no han podido entender cuestiones simples y básicas.

Intento abarcar todos los temas que pueda de la manera más resumida posible, tratando de ofrecer un esclarecimiento para las personas, tanto mayores como jóvenes, que desean reconocerse nuevamente en este mundo y este cuerpo.

Espero poder plasmar en este pequeño libro, una visión general sobre lo que somos y sobre dónde estamos, esperando que se convierta en una especie de cuadernillo de primeros auxilios, donde en pocas palabras se puedan encontrar respuestas simples.

Muchos libros explican esto, algunos de una manera poética, otros muy científica, pero yo voy a explicarlo a mí manera, la manera en que yo recuerdo esta información.

Sin más, gracias por haber elegido nacer en este momento, hermanas almas, y espero poder, con mis palabras, despejar algunas de sus pequeñas dudas existenciales.

"Bienvenidos a la vida ..."

Matías G. De Stefano

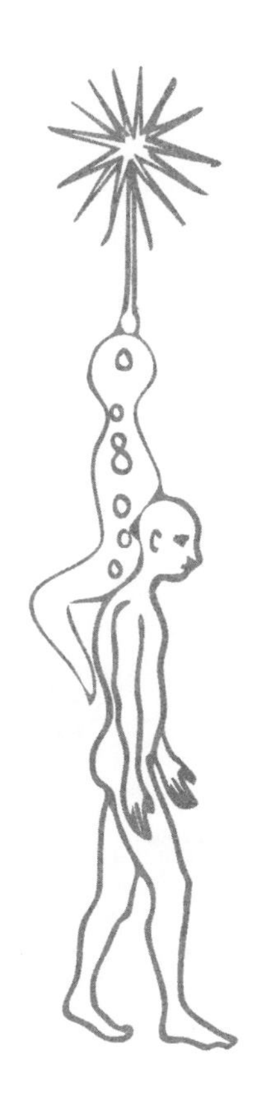

Capítulo 1

HUMANOS

"Hijos de las Estrellas y la Tierra, Herencia Universal"

¿De qué se compone el Ser Humano?

El Espíritu

El Espíritu es la Esencia, son chispas del Cuerpo de Dios*, son sus "Electrones".

Ellos no tienen forma, son un destello de luz pura que se mueve en la inmensidad. Contienen en sí todo el conocimiento, desde el Origen. Pero, los espíritus tienen dos funciones que realizar. Una: lograr que todo aquello que se volvió denso en el Universo vuelva a la luz pura. Y dos: integrar toda la experiencia del Cosmos para *entender* lo que ya sabe y así poder convertirse cada uno de ellos, en un nuevo Dios.

¿Cómo lo logran...?

El Alma

Lo logra mediante la "densificación"*. El Alma es el vehículo denso más cercano que tiene el Espíritu. Ésta se compone de diferentes energías, por eso es densa, porque ya no es tan sólo luz pura. Su cuerpo son los famosos chakras* (raíz, sacro, plexo, corazón, timo, laríngeo, tercer ojo, corona), es decir, las glándulas energéticas que permiten que el espíritu pueda acercarse a la máxima densidad, que es la Materia. El Alma es el Puente entre la Luz Pura y la Materia, y es la que acumula toda la historia que al Espíritu le sirve de experiencia. Podría decirse que el Alma es la agenda viva del Espíritu.

¿Y cómo se une a la Materia?

El Cuerpo, Fisis

El Alma debe adaptarse a todas las formas de la Naturaleza (Fisis) para permitir que el Espíritu aprenda de la experiencia mientras a través de sus actos en la vida, busca la manera más apropiada de lograr que la materia vuelva a la Luz Pura. El Cuerpo es el Templo del Alma, tan sagrado como el Espíritu, aunque mucho más denso. Sus glándulas físicas son las riendas a las cuales el cuerpo del Alma se aferra y así le puede dar vida.

> *Recuerdo que de pequeño solía decir a mi madre que cuando miraba hacia abajo me mareaba y que el 'traje' me quedaba grande, y ella no sabía a qué me refería, pero yo insistía: ¡los dedos me llegan por el antebrazo! Mi alma aún no estaba del todo compenetrada con el cuerpo, y eso me traía muchos problemas en la vida cotidiana, ya que no podía organizar mi mente y mis sentimientos; ¡me daba miedo abrazar! Temía que el contacto pudiese dañar mis chakras.*

Por separado, ninguno de los Tres podría lograr nada, pero su unión, su alineación y el pleno funcionamiento de los tres en conjunto, hace que todo se mueva en completo orden.

¿Qué hace que este orden funcione?

La Astrología

Las energías de los ambientes cósmicos (planetas, estrellas, astros en general, el clima, etc.) son factores que modelan la energía del alma para que ésta se aferre al cuerpo físico con una intención: *el aprendizaje, y el cumplimiento de su misión en ese específico momento.* Si en el momento en que el alma se prepara para su pleno trabajo como puente, durante el nacimiento, la energía cósmica no determinase un orden establecido, se perdería el sentido de lo que se viene a realizar en la Vida. Es por eso que el Orden Cósmico determina nuestros pasos a seguir, nuestra historia, nuestro mapa de ruta, nuestros sentimientos, relaciones, dones, y tantos otros aspectos los cuales generan los mecanismos necesarios para poder aprender y cumplir con lo "pactado" antes de nacer, para seguir creciendo en las diferentes vidas.

¿Cuáles son esos mecanismos que nos ayudan a aprender y cumplir?

Las Personalidades

Éstas son las que nos permiten crecer. Las personalidades son la mejor manera de poder centrarnos en lo que debemos lograr. Son infinitas, una para cada nivel y aprendizaje. Así, debemos entender, cuando vemos las diferencias entre unos y otros, que no somos de mundos distintos, o que unos son malos o buenos, o pacientes o testarudos, sino que cada uno está aprendiendo algo diferente. Muchos deben aprender sobre el manejo del mundo físico, porque antes tal vez eran muy espirituales, y por eso, hoy pueden ser taurinos, materialistas y ateos, incluso algunos, ladrones y codiciosos, pero que eso no nos lleve a hacer juicios, debemos saber que sus personalidades están formadas de acuerdo a lo que necesitan practicar, y por lo tanto debemos aceptar su nivel de aprendizaje y sólo tener la intención de guiarlos en el mismo, para que no se pierdan. Las personalidades no deben separarnos por ser difíciles de soportar, por el contrario, deben hacernos entender a los demás y así entendernos a nosotros mismos, compartiendo hasta el momento en que sepamos que nuestro camino sigue por sí solo, y tal vez entonces nos preguntemos: ¿qué es lo que debo aprender yo?

¿Siempre aprendemos mediante la personalidad o hay otras formas?

El Paquete Kármico

El Karma* (del sánscrito, polvo), es todo lo que llevamos sobre nuestras espaldas, es nuestra historia, todo lo que "acumulamos" durante nuestra experiencia en la existencia. El karma no es sólo negativo como muchos creen, sino que es una manera positiva de hacernos aprender. El Karma viene a veces por herencia genética, a veces álmica*, etérica*, histórica, social, de contexto, de la infancia o por traumas en otras vidas, y es "polvo" acumulado que nos está indicando algo: *nos indica dónde está el problema*. El Karma no es algo que uno arrastre, sino que es un "cuaderno de anotaciones" del Alma en el cual deja escrito: "Esto ya lo hice, esto me falta por hacer, tengo que arreglar esto de hace mil quinientos años, tengo que buscar a tal persona para decirle aquello que me olvidé hace dos vidas...". El mismo se va desarrollando en la vida, sin darnos cuenta, a través de encuentros con gente inesperada, de viajes a sitios insólitos, de traumas o soluciones familiares, de muertes infantiles, de alegrías inesperadas, todas preparadas por la Astrología, puestas ahí para recordarnos que debemos trabajar en esas cuestiones y pasar el examen de una vez por todas.

Pero otra función del "Paquete Kármico" es muy positiva para las almas que necesitan aprender rápido o que tienen misiones que cumplir a corto plazo y no tienen mucho tiempo para aprenderlo todo. Esto es, los Espíritus recolectan información de la Matriz o Médula Espinal, del Cerebro de Dios, recuperan registros de otras almas que ya han experimentado en los mundos físicos, y con el permiso de esas almas, se adjuntan información y la introducen en el alma como "programas de información" con el fin de crearse un Karma extenso que les permita fluir en la vida física, moviéndose más rápido, con mejor adaptación y facilitando su misión. Así muchos recordarán vidas que ni siquiera fueron suyas, sino producto de un viaje por lo que llamo el "Supermercado Cósmico", en busca de la información necesaria para el cumplimiento de su misión.

Ésta es una de las cosas que aún tengo en mi mente: yo como espíritu, junto a otro ser, paseándome por columnas y estantes de luz pura, donde yacen todos los recuerdos. Leía lo que me interesaba, y me guardaba lo que me serviría. 'Esto sí, esto no', era gracioso recordarme leyendo sin ojos y sin palabras escritas, las cosas que investigaba para poder generarme un karma capaz de ayudarme a realizar mis tareas en la Tierra. Una vez de pequeño escribí: 'Soy Ghan, y vengo siguiendo los pasos de un alma para aprender sobre la Vida'..."

Muchas almas vienen también en conjunto a realizar grandes aprendizajes, y diversos mecanismos se unen para generar Karma capaz de hacer que familias, pueblos o miles de personas y seres aprendan todos juntos situaciones similares.

¿Cuán grandes pueden ser esos grupos de almas aprendiendo?

Las Razas Humanas

Las razas fueron formadas por mecanismos de evolución generados por el Orden Cósmico. El clima, la alimentación, los astros y otros factores, permitieron la formación de grupos con diferentes karmas. En el planeta Tierra actualmente hay cuatro razas básicas, que están aprendiendo cosas generales. La raza Negra está aprendiendo sobre lo físico, manejan lo espiritual a través del mundo físico, y han venido a transmutarlo desde ello, por eso ésta es una de las razas más sufridas, pero más puras, de la Tierra. Trabaja desde las energías rojas, es decir, el movimiento y lo creativo del chakra base. La raza Roja viene con un karma espiritual arraigado a lo puro de la materia, con un conocimiento mucho más puro del espíritu cósmico en la Tierra, trabajando las comunidades simples, las comunidades indígenas. Trabaja desde el chakra sacro y la corona, es decir, la voluntad y lo divino. La raza Amarilla ha venido a centrarse en el crecimiento interior dentro de la masificación, es el ser Uno Mismo dentro del Todo. De ahí la famosa filosofía Interna Oriental, dada en los países con mayor población del Mundo. Trabaja desde el plexo -lo amarillo- y el corazón -la realización y el Ser-. La raza Blanca transita en el aprendizaje de lo intelectual, el descubrimiento de las cosas a través de la experimentación del mundo físico. Trabaja desde el tercer ojo y el sacro, la visión y el desmembramiento de la realidad, y la voluntad de la concretización.

Todas son necesarias, pero a su vez, todas han abusado de su karma, de sus aprendizajes en la evolución, y han cometido errores: la raza negra el de ponerse en víctima de su sufrimiento y algunos querer ser como los blancos; los amarillos el de adueñarse de su color como único y masificar su fuerza en planos que no le correspondían; la roja el de volver a sus primitivas necesidades y perder su conexión por querer convivir con los blancos; y los blancos por su arrogancia de supremacía que acabó por llevar al mundo a un precipicio de perdición de lo elemental de la vida.

Todas las razas provienen de la evolución de la Tierra, y a su vez, de la mezcla con otras razas del universo, que fueron puestas en el camino para permitir la rápida evolución de los humanos. Muchas de ellas pusieron genes que aún hoy siguen dando problemas a las sociedades y que han hecho resaltar lo negativo de cada humano, pero hay quienes permanecen trabajando firmes con su herencia kármica, solucionando problemas y creando nuevos caminos para todos sus hermanos.

Todos los humanos venimos del mismo sitio, y nuestros espíritus no pueden diferenciarse uno del otro, pero en la tierra física, las razas y las culturas nos ayudan a crecer y a aprender sobre nosotros mismos. Entender esto nos debe ayudar a permitir las diferencias raciales, al mismo tiempo que nos debe ayudar a entendernos como hermanos en esencia. Esto lleva a la comprensión de que las almas también poseen diferencias de razas y de esta manera pueden guiarse por el camino de la evolución en un orden establecido, esperando poder pasar al siguiente nivel (algo que está muy claro en la visión maya de las razas que llaman *Azul, Roja, Amarilla y Blanca,* en la que cualquier humano de cualquier raza, puede pertenecer a cualquier otra raza en el plano álmico).

¿Y entre toda esta gente con la que debemos aprender, cómo hago para saber quién soy yo en realidad?

Conociéndonos a Nosotros Mismos

Nuestro entorno, englobando las personas, las cosas, los hechos que nos suceden, la cultura, las razas y muchísimos factores de la vida física, es conocido en la Tierra como aquello que debemos saber, experimentar y descubrir, todo ello para vivir en sociedad. Pero, hay una visión del entorno que la sociedad todavía no considera, y es la de *entorno* como *espejo.* Todo lo que encuentres en el exterior, en el mundo más allá de tu piel, es un reflejo de lo que llevas dentro. Debemos saber diferenciar qué nos pertenece y qué no, y qué nos afecta no por antimoral, feo o hermoso, sino por lo que sentimos realmente dentro en relación a ello.

Este proceso de interiorización puede hacerse mediante la meditación, la cual nos ayuda a ver con los ojos cerrados, en silencio, y a buscar, no lo espiritual, sino lo interno, para descubrirnos a nosotros mismos; o también puede realizarse observando, buscando y viviendo lo externo, pero siempre con plena consciencia de que lo que te encuentres en el camino, servirá para darte cuenta de quién eres tú en realidad.

Somos seres de Luz, *espíritus sin forma*, que tomamos forma gracias a las *almas,* puentes entre los mundos, aprendiendo gracias a la experiencia que el *mundo físico* nos brinda, a través de las *personalidades* y las complejidades materiales, desentrañando los misterios de Dios desde lo más denso, para saber plenamente cómo funcionan y llegar a ser un Dios nuevo. Somos todos una potencia de Dios, del Cosmos, creados físicamente por *razas* de otras constelaciones y por animales de la Tierra, guiados por los que viven en las estrellas para reencontrarnos en un camino conjunto de espiritualidad material, buscando el cauce de nuestra evolución mutua, volviendo hacia la Luz Pura, la Fuente, el camino a casa.

Todo este proceso complejo y que parece tan difícil y largo, no es más que una escuela, la escuela de Vida, que nos ayuda a Ser y formar parte del Universo. Todos los procesos en el mundo físico, serán respetados, valorados y "deidificados" en el momento en que sepamos *quiénes somos cada uno de nosotros y para qué estamos aquí*. Estas dos preguntas, se responden solas con el paso de la vida en el movimiento incesante de la Tierra.

¿Qué función cumplen entonces las estructuras sociales de la Tierra, si buscamos ir otra vez a la Fuente de Luz?

La Educación

Ésta ha sido diversa a lo largo de la historia, y su esencia, en gran parte perdida, era la de enseñar a vivir en la Tierra, a adaptarnos al mundo físico (educación física), instruirnos sobre la formación de las cosas (física y química), sobre el manejo en la supervivencia (economía y ciencias naturales), sobre la lógica del cuerpo de Dios (matemática y tecnología), sobre la comunicación entre los seres (idiomas) o sobre la relación entre los seres (psicología y formación ética), entre tantas otras cosas útiles para poder vivir aquí en el mundo. Su sentido casi se ha perdido, olvidando cosas esenciales a aprender, tales como respirar y moverse con la naturaleza, –como en el TaiChi–, y se ha centrado completamente en aspectos intelectualoides, sin sentido, que sólo han permitido un desarrollo de la sociedad hacia la tecnología, el egoísmo y el capitalismo.

La educación debe servirnos para nuestra adaptación al mundo, para aprender conscientemente a manejarnos en él, para aprender de nosotros mismos y de los demás, en conjunto. No se debe caer en la trampa del capitalismo enciclopedista en el que todos debemos saber de todo para poder sobrevivir en el mundo laboral, aunque todos deberíamos tener la oportunidad de saber todo, para movernos libremente en el mundo.

La educación de la Tierra está muy ligada a los aspectos económico, político y religioso, los cuales deben estar presentes en nuestra formación, pues son los vehículos con los que nos moveremos para vivir en el mundo físico durante nuestro aprendizaje.

¿Cuál es la verdad de los mecanismos que nos formarán en la vida física?

Los siguientes tres aspectos a entender, son calcos, a nivel físico, de los sistemas celestiales, es decir, que lo que aquí llamamos Cielo, nos ha brindado sus mecanismos de movimiento para que aprendamos de la misma forma, pero en los mundos físicos. Debido a la confusión que crea su densidad, estos tres aspectos se han tornado negativos y totalmente oscuros para la humanidad.

Pero... trabajemos su verdadera esencia:

La Economía

En el Cielo, la economía es energética y simple, manejada por cada uno de acuerdo a su necesidad, y guiada o pautada a grandes rasgos por seres superiores. Ésta es entendida como el paso de energía o información, el intercambio de esencias, los pactos kármicos, el préstamo de historias, el trueque energético, todo en un nivel tan sutil que es prácticamente imperceptible aquí. Los seres de luz plasmaron la economía en los mundos físicos, para que las almas puedan moverse y sobrevivir a través del intercambio y la satisfacción de las necesidades, trabajando el sentido de la posesión como algo importante en los mundos, y el compartir mediante el intercambio equilibrado del Dar y el Recibir. Todo sistema energético se vale de no dejar vacío un solo espacio. Si se da, se debe recibir inmediatamente. En el mundo físico, el intercambio de cosas, dinero, piedras preciosas, objetos de valor y favores de todo tipo ha sido la manera en que las almas encarnadas aprenden el manejo del intercambio energético en la densidad: "Para comer, debo trabajar y comprar la comida o producirla yo mismo, pero si necesito una silla deberé cambiarla por mi comida..." Así como nuestros billetes poseen valores numéricos diferentes, en los Cielos, poseen niveles vibracionales diferentes, pero ninguno es mejor que el otro, simplemente son adaptaciones de un mismo esquema en diversos planos.

La Política

En el Universo, las Órdenes, los Juicios, los Arcángeles, Serafines, Guías, y tantos otros seres, cumplen sutilmente la función de políticos. Son los que procuran el orden del pueblo y de los mundos, buscando el bienestar, facilitando sus economías, permitiendo el libre aprendizaje y la educación. Ellos se movilizan por el mundo siempre al servicio de la comunidad y favoreciendo la evolución conjunta.

En la Tierra, ha sucedido lo mismo, y el esquema de la política es para organizar todos estos aspectos en los mundos sociales. Cada sociedad y cada raza tiene su propia forma de dar y recibir (economía) y de organizar a su gente para el proceso conjunto (política). Los llamados políticos deben ejercer como guías o indicadores del mejor camino o forma para la concreción de la vida, son "pastores" que guían un rebaño, elegidos por su sabiduría y no por sus estudios o experiencia.

En la Tierra, la política ha sufrido el mal de unirse muy de cerca con un aspecto que sólo debe funcionar en la misma como una simple herramienta: la economía. Y lo ha hecho tomando los aspectos negativos del sentido de posesión y adueñándose de su manejo, cuando sólo debía ser su guía.

Consagrar una verdadera política sobre el Mundo, es traer el Cielo a la Tierra, y el ejemplo a seguir para ello, son los Arcángeles, los Guías y las Entidades Supremas.

La Religión

Fue desarrollada en la Tierra para recordar el sentido de la evolución, de la integración cósmica, para que volvamos a entender los pasos del camino a a casa, valorando el mundo en que nos debemos desarrollar.

Sin embargo, las religiones se adueñaron de los dos anteriores principios: la política y la economía, asuntos que no debían ser guiados por los religiosos. Esto fue lo que llevó a la humanidad a sumirse en las oscuras garras de la mentira de las religiones, que han nublado el verdadero sentido de los profetas y lo han dirigido a sus necesidades más carnales y viscerales. Las religiones deben cumplir el papel de guía espiritual, de consejeras sobre el Camino, pero no de regidoras del Camino, son "pastores" de rebaños que buscan el camino de Dios en la Vida. Los Cielos ayudan a recordar el camino a seguir, y son los Maestros Ascendidos quienes tienen la función de guiar a los ángeles y a los humanos por el sendero de la Verdad.

Los sabios en la Tierra, como Buda, Jesús y Mahoma, entre tantos otros, cumplieron su nivel de máxima sabiduría, y es por eso que desapegadamente pudieron cumplir con los tres mecanismos al mismo tiempo. Todos los humanos pueden hacerlo, por eso en estos nuevos tiempos, en los tiempos de Acuario, el ser humano debe abandonar las religiones, pues él es capaz de guiarse a sí mismo, buscando por sí solo el camino más apropiado a seguir.

Capítulo 2

LA HISTORIA

"Lo importante no es el destino,
sino el camino"

¿Adán y Eva?

Los primeros humanos sobre la faz de la Tierra no fueron precisamente ellos dos. Este mito es una historia cierta, pero incompleta y mal contada. Adán fue el primer hombre al que se educó según las leyes de la Tierra y las leyes cósmicas, convirtiéndolo en uno de los primeros reyes herederos del trono de una humanidad mucho más antigua. Fue modelado por razas estelares a fin de generar el prototipo perfecto de ser humano. Lilith, fue la primera mujer, enseñada en las leyes cósmicas y universales, formada para guiar como Madre a todos los pueblos que estuviesen bajo su gobierno. Estos dos prototipos sufrieron transformaciones y problemas a lo largo de la historia, que los llevaron a separarse, y así, fue ofrecida a Adán la oportunidad de tener una mujer no tan problemática como la anterior, y genéticamente creada a partir de él. Así nació Eva.

Desmitificando: **Adán y Eva** fueron prototipos humanos para la civilización posterior de *Uruk**. Ambos poseían los genes que luego serían base para muchos humanos más en la Tierra. El **Edén** era un valle, hoy sumergido en el Golfo Pérsico. **Lilith** fue la Reina Madre, exiliada a África, que poseía un bastón con forma de *serpiente* (símbolo real de la antigüedad), quien al enterarse que Eva fue sumisa a Adán, la "tentó" con enseñarle el conocimiento del mundo y liberarla de su "prisión", por lo cual ella cuestionó a su "creador", al de las estrellas y de todas las cosas, razón por la cual la expulsó de sus tierras.

La Biblia ha transcrito la historia de una manera poética aunque mal traducida, para que las personas pudieran recordar las cosas a través de imágenes simples, ya que antiguamente no había otra manera de generar conocimiento que por imágenes. Esto no fue culpa de la Iglesia, pues simplemente siguió al pie de la letra los escritos sagrados, que, por desgracia, habían sido muy mal traducidos por escribas* en la antigüedad, mucho antes de Jesús.

¿Qué es lo que nos han contado entonces?

La Historia Conocida

En la escuela nos enseñan que la historia comenzó alrededor del 3500 a. de C., aunque, en realidad, como dicen los mayas, ese es el comienzo de la historia conocida, período que finaliza en el 2012 d.C. Dice una frase célebre: "la historia la escriben los que ganan", y así ha sido contada nuestra historia. Muchos de los hechos que se nos han enseñado son mentiras o están mal contados. Se enseña una historia sin fundamentos, lineal, que nos lleva a no entender qué relación tiene con nosotros lo que estudiamos de Roma o del siglo XVII, cuando en realidad, tales sucesos guardan muchísima relación con el presente. El problema es que hemos olvidado que la historia, como el tiempo, es circular, y que todo se repite, de una manera diferente, pero con los mismos patrones.

Durante toda mi etapa escolar adoraba la historia y todo lo relacionado con el pasado y la antigüedad, pero me negaba a estudiarla, o me frustraba tanto al leerla que lloraba. Cuando mi madre me preguntaba qué me pasaba que no rendía bien en historia o me ponía tan mal, le decía: '¡porque todo lo que leo es mentira! ¡nada pasó como dicen!'

La forma en que conocemos la historia es poco entendible, por más estudios que se hayan hecho. Incluso cosas de hace cuarenta años que creíamos saber, ahora se descubre que fueron mentiras o tapaderas... Entonces, ¿cómo podemos creer que los historiadores saben lo que pasó en el 3000 a. de C.? Los mitos y leyendas que estudiamos en literatura o historia antigua, son la historia del pasado. La historia no debe ser tomada como una lista para saber lo que pasó hasta el día de hoy, sino como un orden complejo y camuflado que nos indica los errores que pueden repetirse. Debemos estar alerta al estudiarla porque algunas cosas pueden volver a suceder. ¿Por qué estudiar la Edad Media y cómo vivían entonces si eso ya pasó? Pero... ¿Qué pasaría si hoy dejase de funcionar por cualquier razón toda la tecnología, y las comunicaciones, y tuviésemos que volver a una Edad Media? ¿Sabríamos desenvolvernos?

La historia más cercana en el futuro, normalmente es la más lejana en el pasado. Los historiadores no tienen mucho acceso a ella, aunque hay muchos otros que sí lo tienen, son quienes estudian los mitos, los historiadores de lo oculto... y somos también aquellos que recordamos.

LA HISTORIA DESCONOCIDA (Ver página 75)

La historia de la Humanidad comienza mucho antes del 3500 a. de C. y el ser humano como lo conocemos hoy, se forjó alrededor del 20.000 a. de C. durante la generación de la famosa *Atlántida**. La evolución entendida por Darwin, tuvo su curso de una manera prácticamente similar a la de sus hipótesis, pero teniendo en cuenta que hubo muchos retoques del humano por parte de otras razas que ya habitaban el mundo o que acababan de llegar a él. Ellas dieron forma a las civilizaciones primeras, a las que yo llamo *Yomlom**, *Atombi**, *Khefislion**, *Yanyen**, *Harinmibu**, etc. (Lemuria, Entre-Hielos, Atlántida, Mayas, Puertas del Sol, etc., en ese orden) las cuales dieron lugar a otras muchas civilizaciones alrededor del 10.000 a. de C. y que tras el fin de su historia alrededor del 5.500 a. de C. dieron paso a una época de confusión que dió inicio, hacia el 3000 a. de C., a la historia que conocemos. (Ver mapa)

Entender la historia antigua es crucial para el futuro más cercano, ya que la historia es cíclica, y los problemas y acontecimientos son muy similares.

Detrás de la historia humana, fue extendiéndose una historia de conspiraciones, tanto terrestres como extraterrestres, relacionados con el el control de este mundo tan rico y variado, es lo que hoy se conoce como las historias de los reptilianos*, los iluminati* y los rigelianos*, entre otras de menor rango, que han enturbiado nuestra historia hasta hacer que pierda su verdadero sentido. Muchas fantasías sobre la Historia desconocida han generado corrientes de pensamiento muy desesperadas o exageradas acerca de los hechos acontecidos, pero nada nos tiene que sorprender, pues todo es parte de un proceso natural, el cual toma su cauce en nuestra vida y nuestras acciones.

Una manera muy clara de ver estas conspiraciones integradas en nuestra conciencia y de diferenciarlas de los caminos de evolución coherentes para la espiritualidad en la materia, son nuestras ciudades.

Nuestras Ciudades

Hoy podemos observarlas con enormes torres rectangulares, o edificios monótonos cuadrados y sin colores vivos, con suciedad en las calles y sin una construcción alineada con las energías que las transitan. Las personas de las ciudades actuales viven con estrés, en constante movimiento, alteradas, cansadas y con deseos de sobrepasar a otros en una lucha por el poder de la imagen y del éxito, circunstancia evidenciada por el propio crecimiento de los edificios y rascacielos.

Estas ciudades tienen su origen en esquemas provenientes de mundos fríos, con ambiciones, en los que para obtener un poco de luz entre tanta niebla se debía superar la altura de los otros, a fin de disponer de energía solar, y para ello devastaban los recursos de esos mundos con tal de poder lograr la supremacía hacia el cielo.

En la Tierra, en los seres vivos racionales, nunca fue establecido ese patrón; ellos debían utilizar la energía del sol y de la tierra junto a las aguas, alineando las energías de equilibrio tal como los padres estelares de Sirio* y las Pléyades* habían enseñado. Las grandes construcciones de la Tierra, son mapas y guías, son equilibradoras, como las pirámides, que poseían una función social y planetaria, y no de ego, como muchos suelen creer. Las ciudades donde la gente habitaba, eran de colores vivos y claros, alineando las calles con el paso de las energías, utilizando las energías del ambiente sin modificarlo ni destruirlo. Las poblaciones nunca eran masivas, ya que se debía permitir el bienestar y la tranquilidad, con acortamiento de distancias.

Esta planificación de las ciudades antiguas es la planificación de las ciudades futuras, las cuales tendrán la capacidad de ser habitáculos para mucha gente que, sin necesidad de esforzarse, circularán por el camino de la Evolución.

¿Y a dónde nos lleva esa Evolución?

La Evolución

Para llegar a ser lo que somos y seguir hacia lo que debemos ser, los pasos son diversos. Seguidamente clasifico algunos de esos pasos:

Energía: los espíritus debemos probar desde lo menos denso, en primer lugar, para poder encarnar, y uno de los primeros pasos es ser Energía, momento en el cual se practica lo que es adaptarse a un Alma, ser que nos ayudará en todo el proceso a seguir desde ese momento.

Gas: la densificación de las energías nos permite entender la fluidez de las cosas más físicas dentro de los mundos densos.

Piedra: la máxima densificación aparentemente inerte nos ayuda a saber cómo se siente la materia y a reconocer nuestros límites dentro de los mundos.

PLANTA: para entender el proceso de canalización de la luz divina y su anclaje a la tierra, debemos practicar durante largo tiempo el proceso de fotosíntesis, a fin de tenerlo integrado el día en que debamos respirar y meditar.

ANIMAL: (tanto peces, mamíferos, reptiles, o cualquier otro tipo de animales) este proceso nos ayudará a aprender sobre el movimiento y el control de nuestro cuerpo, en lo instintivo y la toma de decisiones, en la interacción con los demás seres de un grupo, y la comunicación.

ANIMAL RACIONAL: la práctica de la espiritualidad, la meditación, los actos creativos, la cultura y el sentido de familia integrando la comunidad como medio en el que nos moveremos a fin de aprender y anclar la luz en evolución, se dará en animales como los cetáceos, los primates o los homínidos primitivos.

HUMANO: Incluye las cuatro razas básicas y es el momento de aprender, casi durante setenta vidas, sobre la unificación de lo terrenal y lo celestial, teniendo en cuenta todo lo aprendido antes y su valor, trabajando en la iluminación de la materia desde la misma materia. Es el último nivel, junto al de los extraterrestres, en que se evoluciona en los mundos físicos iluminándolos, uniendo Cielo y Tierra.

ÁNGEL Y SERES DE LA SÉPTIMA DIMENSIÓN: llegados a este nivel, la evolución comienza a ser diferente. Aquí se trabaja el servicio a los mundos físicos utilizando la experiencia de lo vivido a fin de guiar a los que aún permanecen en la densidad.

Entre los doce y los diecisiete años, podía recordar como si hubiese ocurrido sólo unos años atrás, la experiencia de ser piedra y planta, y se la contaba a mis amigos como si fuese una parte más de mi historia. Recordarlo, me ayudó mucho a entender por qué debía ser ahora un humano completo, y aún siéndolo, dos de mis grandes amigos en esta vida, fueron un Roble y un Eucalipto...

Esta evolución a grandes rasgos, es afectada por diversos factores cósmicos, terrestres y extraterrestres, los cuales permiten la diversificación de una amplia gama de prácticas, todo ello a fin de dirigirnos a través de la Vida hacia el más allá, hacia la Casa de donde todos venimos, para esta vez llegar con más conciencia de nuestro propio conocimiento.

¿Cómo es el paso entre estos niveles de evolución?

La Vida y la Muerte

Ambas son nacimientos, metamorfosis de lo físico, iniciaciones para el espíritu y el alma, momentos sagrados. El nacimiento es la iniciación a la Vida, y la muerte la iniciación a la otra Vida.

La Vida está compuesta de todos los componentes físicos y etéricos conocidos y desconocidos. La Vida va más allá de la Muerte, pues es la vida la que nos permite aprender mientras transitamos los diversos caminos de las realidades, y eso abarca un amplio sector del universo y de las existencias, por eso, la Vida es entendida como la *escuela del Alma,* y la Muerte, en cualquier nivel, es entendida como la *graduación del Alma* en ese aprendizaje.

La muerte también existe en los planos superiores, pues no es más que una transformación, que permite el paso de un nivel a otro de conciencia, de existencia y aprendizaje.

La Vida puede darse de muchas maneras, y todas son aceptables, pues toda vida se genera por un propósito divino, aunque a veces el contexto haya hecho que esa vida se degenere apartándose de su realidad y su verdad.

Todo, absolutamente todo en la existencia, tiene vida, desde las piedras al plástico, desde un barco hasta la selva, todo está vivo y en movimiento, todo tiene chispa divina, todo vibra, y por ende, todo está vivo, lo único que varía es el proceso de evolución y la forma de morir, que puede ser trágica o regulada, pero todo aquello que fluye en la existencia posee un alma o al menos una especie de esencia álmica, que le permite formar parte de nuestra vida y nuestro aprendizaje.

Incluso el ser al que muchos creen incapaz de tener vida, alma, espíritu o sentimientos, tiene Vida, y de las más puras y capaces... nuestro planeta, la Tierra, el ser vivo cercano más grande que conocemos.

Capítulo 3

LA TIERRA

"La Perla Azul, vórtice y vértice del universo, escuela y dadora de Vida"

Nuestro Sistema Solar

Cuando estudiamos en primaria, nuestros maestros nos enseñan sobre el Sistema Solar. El Sol en el centro, y otros nueve planetas a su alrededor. Todos girando en elipse y puestos allí por la inercia de la explosión solar y la gravedad. Pero esa verdad, es igual que la de "La Tierra Plana" de otras épocas.

Nuestro sistema solar, fue generado por colisiones y explosiones específicamente planificadas, antes de las cuales nuestro Sol no tenía planetas y sufrió un enorme impacto de energía desde su Sol, Sirio. Sí, nuestro sol tiene otro Sol más grande alrededor del cual gira, y su energía nos afecta de manera notable cada tantos miles de años. Este impacto de energía provocó la expansión de nuestro Sol, que estalló creando los planetas. Tomó varios millones de años, pero los seres etéricos del Universo, los Grandes de Luz, dieron forma a los planetas, colocándolos en sus lugares adecuados. El cuerpo del Sistema fue equilibrado de acuerdo al Cuerpo Cósmico, en un orden adecuado para facilitar las energías entre los diferentes mundos, generando una especie de

*Kundalini** a gran escala, que daría vida a sus jóvenes trece planetas.

Mercurio, Venus, Tierra, Marte, Júpiter, Saturno, Urano, Neptuno, Plutón, y los que yo llamo Maat, Bastet, Hathor y Hisnet. Estos otros 4 mundos más allá de Plutón, son las otras fuerzas que influyen en el Sistema y que han contribuido a dar forma a lo que hoy conocemos.

Uno de ellos hoy es conocido como Planeta X, y otro como Ercóbulus.

Este último estuvo habitado por unos seres a los que yo llamo aerlim, padres de los legendarios gigantes, titanes y dioses de la antigüedad, los cuales en cierto momento, fueron atacados y su mundo fue tomado por otros seres a los que yo llamo "iacoptes*", padres de los famosos reptilianos. Este mundo tomado, fue movido de su rumbo con el fin de usarlo como vehículo para llegar a los tres planetas más poblados: Venus, la Tierra y Marte. Es por eso que la leyenda dice que su órbita gira diferente a la de los otros planetas.

El orden cósmico tiende a hacer que los planetas se sucedan en elipses para mantener el equilibrio entre sí, y es por eso que este planeta en desplazamiento, creó varios problemas en los otros mundos. Hace millones de años, uno de ellos, un pequeño planeta, se colapsó estallando más allá de Marte, y a consecuencia de ello la Tierra cambió su órbita, así como Venus, que se acercó mucho más al sol, y también Urano, que comenzó a girar patas para arriba.

¿¡Por qué tuve que pasar más allá de Orión!? Nunca debí haber llegado a estos planetas solitarios!' gritaba entre los doce y los diecisiete años, cuando me ponía triste por la mala situación*

de nuestro sistema planetario. Recordaba el momento que me había traído aquí, y a veces me arrepentía y me sumía en total angustia recordando mi capacidad de verlo todo desde arriba y de moverme entre los mundos, y ahora me sentía prisionero de un cuerpo denso...

Nuestro sistema fue programado para que nosotros podamos existir, y las fuerzas interplanetarias permitieron que la Tierra sea la premiada en ese reacomodo, para que el camino de la Vida, siga su curso casi completamente en este mundo.

¿Qué relación hay entre nosotros y el Sistema Solar?

El Ser Humano y el Sistema Solar

En el Universo todo está diseñado de acuerdo al Cuerpo de Dios, y este esquema se refleja en todos los planos y en todas las cosas.

El Sistema Solar está ordenado de acuerdo a las partes que componen el Universo, aunque en una escala muy pequeña, al igual que ocurre con el cuerpo humano. Los chakras y los órganos del cuerpo, también pueden compararse a nuestro Sistema Solar (trece planetas = trece articulaciones; sol = páncreas o plexo, etc.) Esta conexión tan profunda nos permite entender cómo afectan los movimientos planetarios a nuestra personalidad, a nuestro carácter o a nuestra manera de tomarnos las cosas en determinado momento. Nuestro mismo cuerpo, cuando tiene un problema, suele expresarlo a través de otros órganos en lugar del que realmente presenta la problemática, como cuando algo le pasa a nuestro corazón, y responden nuestros riñones, o si sufrimos una dolencia en la nuca, y las piernas dejan de funcionar. Son muchas las relaciones que hay entre órganos tan diferentes de nuestro cuerpo. De la misma forma nos afectan los sucesos a nivel estelar: si algo sucede en Saturno, probablemente lo sintamos en la Tierra también como reflejo. Tengamos en cuenta esto, pues más de una vez sabremos que nuestra alteración puede deberse a Marte, y no a una discusión con nuestra pareja o alguna otra persona.

Otro punto a tomar en cuenta, es que el humano no es en su totalidad de este sistema solar, sino que proviene de otros. El ser humano es una mezcla de razas que por exilio o por deber, llegaron a transformar los planetas de este sistema, generando hijos entre sus gentes y las razas de la Tierra. Muchos humanos hoy se verán atraídos por cierta constelación, casi con un anhelo de "Hogar", ya que su genética proviene de allí. Las Pléyades, Sirio, Arcturus, Draconia, son algunos de los lugares (constelaciones) de los cuales hemos venido. Este Sistema Solar, es nuestra casa, nuestro hogar como humanidad, pero también es un sitio de paso, es un lugar perfecto donde podemos estar protegidos y aprender, sin ninguna distracción en los cielos que nos desvíe de nuestra concentración en la vida (como en otros mundos alrededor de los cuales existen muchos planetas con vida, o donde varios satélites o lunas controlan un solo planeta), algo con lo que aquí no tenemos por qué lidiar, teniendo principalmente al Sol y la Luna como ejes.

¿Y por qué la Tierra es tan especial dentro de este orden?

La Tierra

La Tierra se ha convertido en un vórtice* donde todo confluye. Los Mundos etéricos y físicos que existen en el cosmos, son sitios donde los seres se desarrollan y se preparan para algunos aprendizajes, trabajos o misiones que deben realizar. Las almas encarnan en los mundos porque así pueden acumular la experiencia de los mismos, pero hay momentos cruciales en los grupos álmicos, en los que todo debe hacerse mucho más rápido, o momentos en que el aprendizaje debe ser concentrado. La Tierra es el único planeta, a miles de años luz a su alrededor, que alberga tanta vida, y es por eso que una enorme cantidad de almas en busca de experiencia, eligen nacer aquí, o son enviadas a nacer aquí. La Tierra es un vórtice de aprendizaje, un paraje especial para los millones de almas en migración, un lugar único que permite aprender a un nivel mucho mayor que en cualquier otro.

Sí, el mundo que a veces desprestigiamos, es el mismo que nos da prestigio. Debemos estar orgullosos de este magnífico ser, nuestra Madre, nuestra Hermana.

La Tierra también tiene Alma, pues es un ser vivo. Su nombre es muy conocido hoy en día, Gaia. Y como todo ser vivo, nace, muere, y reencarna, aprende, experimenta y tiene misiones que cumplir. Cuando cumple sus misiones, cumple con lo que los humanos llamamos una iniciación, y las iniciaciones de la Tierra, son muy vívidas para los que habitan sobre su piel. Los períodos geológicos y de catástrofes, glaciaciones, cataclismos, etc., son las señales de una iniciación, pues el cuerpo de la Tierra está sufriendo un cambio general. Ella acepta a los seres que eligen vivir en ella, y elige cuando es su momento de irse (extinción), por eso es un ser sagrado, pues es sabia en su determinación.

Sus rostros (continentes) nos enseñan cosas, nos dan pistas a seguir sobre el camino que debemos tomar en la vida, sobre la energía que se desarrollará en cada región.

Ella es un Cuerpo que tiene sentimientos, dolores, alegrías, y que sabiamente cuida y perdona a sus hijos, a sus hermanos. Su alma, como todas las almas, es nuestra hermana, por eso, la Tierra debe ser vista como nuestra compañera, a la que debemos apoyar. Se ha ganado el título de Madre, pues ha sido capaz de alimentarnos, de cuidarnos y guiarnos con infinita paciencia.

Ella es un cuerpo que también enferma, y se cura a sí misma, de la misma manera que hacemos nosotros. Desmitifiquemos el calentamiento global, pues no es más que otra de las fiebres de la Tierra, durante la cual usa sus glóbulos blancos, a los que conocemos como "pestes", y en caso de mayor gravedad, regula su temperatura con frío, es decir, con una glaciación, el "paño frío en la frente".

Desde chico admiro y dibujo a nuestra hermana Tierra, la venero desde mis pinturas y dibujos. Siempre me sentaba a ver las noticias con el globo terráqueo que yo mismo hice, y me pasaba horas mirándola. También recuerdo que en mis arrebatos de energías densas, tenía pensamientos de alegría ante las catástrofes naturales, al ver que la tierra actuaba con su fuerza para crecer y evolucionar, eliminando a las pestes humanas. Hoy puedo verlo sin la ira que antes sentía, por el dolor que me provocaba ver el daño que causaban a mi Hermana...

Para entendernos a nosotros mismos, debemos ver más de cerca a la Tierra...

Ella tiene piel -su corteza-, a veces se enferma, y tiene parásitos. También equilibra su cuerpo con la misma cantidad de agua que los nuestros, y posee un interior más caliente donde están sus órganos y sus más preciados motores -los cristales y el núcleo-. Tiene venas de agua, roca fundida, y energía, similares a nuestros nervios. Posee columna vertebral (las cordilleras y cadenas montañosas) y a través de ellas atraviesa la energía que marca el poder de los pueblos y los continentes, dando vida a su paso, es la *kundalini* de la Tierra, la energía de vida...

Observemos a la Tierra... ¿no es acaso como nosotros?

Capítulo 4

PREGUNTAS FRECUENTES

"Las respuestas a tus preguntas están frente a tus ojos... sólo debes cerrarlos para poderlas ver"

¿Por qué mueren los bebés?

Antes de explicar esto debemos recordar que las almas vienen naciendo ya hace mucho tiempo, y que antes de nacer, todos sabemos, o al menos tenemos una idea, de lo que nos va a ocurrir y qué debemos hacer, a fin de aprender en la práctica. Muchas almas vienen con un karma muy pesado, y por más que al nacer las veamos como seres inmaculados, su alma carga un peso muy grande que, a veces, deben liberar de un solo golpe. Este golpe, es la muerte, el trauma de la muerte antes del parto o durante su transcurso.

Muchos también vienen a cumplir con misiones de salvación, es decir, a limpiar la genética de toda una generación, y para ello, enferman y mueren con todo el peso de los adultos, y lo hacen mediante terribles enfermedades, como el cáncer. Estas almas son valientes soldados por los cuales no debemos llorar ni sentir pena, sino gratitud, pues han decidido morir, para que nosotros podamos vivir.

Pero también, hay muchas almas que están experimentando este trauma que es el nacer, y muchas temen qué puede haber más allá del vientre. Imagínense diciendo: *"¿Es hora de nacer? Bueno, estoy listo, ¡puedo, puedo! ¡Dios, no! ¡¡¡No quiero!!!"*

La no adaptación al mundo nuevo, al nacer, para muchas almas equivale al miedo que a los vivos nos da la incertidumbre de la muerte. Deciden irse, y probar más adelante. No las lloremos, alentémoslas a que vuelvan a intentarlo, y démosles lo mejor de nuestro ser y nuestro incondicional apoyo, dándoles la bienvenida, hablándoles de lo bello de la Vida, y de que todo saldrá bien.

¿Las Piedras también tienen alma?

Claro que la tienen, pero es diferente a la nuestra. Su alma, es de una esencia sin forma, no piensa, ni se aburre, sólo experimenta la densidad, y al morir, por su quiebre o por la erosión, sólo se transforma y pasa a otra cosa hasta llegar a una planta y encarnar en ella. Las almas de las piedras, tienen forma de piedras, y mientras pasan por las diferentes formas, se adaptan, a las plantas, a los animales... También poseen almas colectivas, es decir, una sola alma para muchas piedras de un mismo sitio, como ocurre con las plantas y algunos animales. En definitiva, todo tiene alma, pues, la esencia espiritual que hace que las cosas existan, no puede llegar a los mundos físicos si no es mediante un alma.

¿Nosotros elegimos a nuestros padres?

Cuando llegamos a los planos de evolución en los que debemos trabajar el grupo pero desde la conciencia individual, es decir, las familias humanas, todos, antes de nacer, hacemos acuerdos y contratos con aquellos con los que nos relacionaremos en la vida. Entre los abuelos, padres, hijos, nietos, primos, parejas, etc., nos conocemos a nivel álmico, reconociendo el historial de cada uno, planificando la solución de algún karma, si es que ya nos conocíamos, y se redacta un contrato en el cual se habla de las relaciones que se tendrán en la Tierra: si será tu padre o tu abuelo o hijo, y si la relación debe ser cómoda o difícil y hasta cruel, con tal de aprender por ambas partes, etc. Todo lo que nos sucede está pactado, incluso si los padres no lo saben, muchas almas deciden nacer en familias problemáticas para intentar solucionar sus problemas mientras aprenden sobre cómo vivir las dificultades humanas. Sí, todos elegimos las relaciones familiares antes de nacer.

¿La Tierra es hueca?

No, la Tierra no es hueca como muchos creen, pero sí tiene enormes huecos en su corteza y su magma. Dentro de estos huecos y túneles, es donde se han asentado diferentes especies de animales desconocidas para el hombre y muchos seres de otros mundos, o incluso de este, que no han tenido más remedio que utilizar los huecos de la Tierra para ocultarse, exiliarse o protegerse. Allí radican los famosos paraísos y mundos perdidos, los infiernos de Hades*, y tantos seres de las antiguas leyendas y mitologías. Pero sus portales fueron sellados hace muchísimo tiempo, y sólo aquellos que se manejan en un plano energético pueden ingresar a ellos hasta el día de hoy.

¿La Tierra también reencarna?

Como dije anteriormente en el capítulo sobre la Tierra, ésta es un ser vivo cuya alma se llama hoy Gaia. La Tierra cumple ciclos e iniciaciones, y en los períodos más fuertes de iniciación, muere para volver a nacer: reencarna. El proceso de reencarnación es similar al nuestro: el cuerpo se vuelve inestable, se enferma, o sufre colisiones, movimientos, enfermedades a veces, y luego todo se detiene por un tiempo, en una época fría en la que todo se queda inerte. Luego, de repente, todo vuelve a circular y a concretarse, es ahí cuando el alma de la Tierra ha vuelto a encarnar, tras haber depositado en su expediente espiritual, todo lo aprendido hasta el momento. La Tierra ha encarnado ya dos veces, pues ha cumplido dos de las iniciaciones requeridas para un mundo, la última de ellas fue la *Voluntad,* momento en que la Tierra poseía el espíritu y alma de YHV, o Yahvé, pero ahora, Gaia está por hacer un nuevo salto, con el que se iniciará en el sentido del *Amor,* para lo cual no falta mucho tiempo...

¿Qué son en verdad los Niños índigo?

Debo aclarar en primer lugar, que los famosos niños índigo ahora ya son adolescentes. A grandes rasgos, intentaré desmitificar este asunto: de todas partes del universo, fueron llamadas almas para la construcción de un nuevo sistema en la Tierra, para que se adapten los seres a la nueva vibración que llagaría en la *Era de Acuario*. Para ello,* se necesitaba que muchas de esas almas, viniesen al mundo para romper con los esquemas viejos de la Era de Piscis*, que impedían la formación del nuevo sistema. Estas almas comenzaron a nacer por todo el mundo, a lo largo de la historia. Pero hubo un punto en que las energías de la galaxia fueron propicias.

A nivel energético, la vibración que se genera por la alteración de la energía estelar, causa fusiones que en los mundos físicos se pueden observar gracias a los colores. Los colores son los resultados de la manera en que la vibración cambia o irradia. El color índigo es el color de la trasmutación, de la visión y la activación de los potenciales, es un color que rompe la estructura de la dualidad cerebral, pues se unifica en la glándula pineal, que es lo único que no es doble en el cerebro. Este color simboliza el cambio total a una nueva dimensión de entendimiento, y es el velo energético que comenzó a mover las tinieblas energéticas alrededor de 1987, permitiendo la entrada de muchísimas almas nuevas a la Tierra. Para poder ingresar a la Tierra, muchas almas debían atravesar ese velo, y por más que muchas de ellas venían con misiones específicas que nada tenían que ver con lo que representa a los totalmente índigo (que es la ruptura de sistemas y la alteración de la conciencia), involuntariamente en su área de misión, optaban por lo revolucionario y la alteración. El índigo no es un calificativo, es una de las esencias que nos permiten movernos a todos hoy en día, algunos poseen grandes porcentajes de esta esencia, y muchos pueden ser niños Cristal, o niños Verdes o Azules, pero con el "manto" índigo.

Estos niños y jóvenes, se quedarán en la tierra por un período de cien años aproximadamente; no necesitan una educación sistémica para su aprendizaje, no necesitan límites, pues los rompen, pero sí necesitan *autoridad de espíritu,* pues son el Ejército de Dios. Ellos necesitan que los guíen para poder realizar su trabajo, no lo saben todo ni son niños mágicos, con dones y sabiduría para regalar. Nacieron con ciertas capacidades, pero no saben moverse en la Tierra, y necesitan ser guiados.

¿Qué es un don? ¿Por qué los están teniendo nuestros niños?

Un don, no es ni un regalo, ni un potencial único, ni hace al niño especial o raro; un don, es un *potencial activado.* Todos los humanos tenemos los mismos potenciales, pues todos somos "potencias de Dios" y encapsulamos sus cualidades en nuestros pequeños cuerpos. Cada parte de nuestro cuerpo contiene la información de lo que somos capaces de hacer.

Nuestros niños y jóvenes, nosotros, estamos teniendo estos dones porque se nos facilitaron a raíz de la apertura de los velos energéticos que cortaban la comunicación con *la Fuente** cósmica. La mayoría de nosotros, al nacer desde 1987, venimos al mundo y crecemos con mejor conexión, y esto no nos da dones especiales, sino que nos hace conscientes desde la cuna, de que PODEMOS y de que lograremos hacer cosas magníficas, de que somos todos uno, y que todas las cosas son en cierta forma, nuestras también, dándole a la materia la importancia que se merece, como los adolescentes hacen hoy, semejando ser materialistas, pero conectados incluso siendo ateos, con la consciencia Divina del YO PUEDO, de la POSIBILIDAD. Esa consciencia, nos permite despertar los dones, activar los potenciales que nos hacen "únicos" y "especiales".

¿Qué relación hay entre los problemas de la adolescencia y los procesos que están sucediendo en la Tierra?

La adolescencia es el fiel rostro de los cambios. Sus almas, unas viejas en la Tierra, y otras nuevas, están mostrando la forma en que el mundo va a cambiar, drásticamente. La sociedad joven es resultado de los estancamientos del pasado, y hoy, ha entrado en el tercer milenio de una manera atropellada, reclamando todos la libertad que antes se les había negado. Las tribus urbanas, los drogadictos, y todos los grupos sociales de adolescentes que están resaltando cada vez más el proceso de cambio acelerado, son todas almas que han venido a romper con los antiguos esquemas. Es por eso que a los nuevos organizadores y guías nos hacen también adolescentes, al menos, nos despiertan mucho más jóvenes que antes, pues debemos trabajar la espiritualidad y nuestros potenciales desde lo que hoy representa la adolescencia: cambios bruscos, materialismo, espiritualidad en tribus pero individualizada, tecnológica y con un alcance y manejo de la información mucho mayor que los del adulto. Los jóvenes no tienen pilares profundos en los cuales basarse, lo cual muchas veces es criticado por los adultos, pero esa es la clave del plan, por ello, la cosmología ha decidido que el rostro de la nueva era sea el adolescente, pues ellos pueden trasmutar sus personalidades varias veces y adaptarse a todo tipo de cambios.

Las problemáticas generadas por los adolescentes hoy son las mismas creadas en los adolescentes por las viejas estructuras, no es un problema juvenil, sino adulto. No obstante, el joven debe ser consciente de este proceso, pero se deja llevar por las olas que él mismo vino a crear, y eso es lo que genera desperfectos en el plan.

Otros hemos venido a guiarlos para que recuerden su verdadera función, que es de las más importantes sobre la Tierra hoy en día; hemos venido a recordarles lo importantes que son para todos y para el futuro. Nosotros, los jóvenes, no hablamos de Dios como han hablado nuestros mayores, o los índigo de los años sesenta. Hablamos del Universo desde el mundo, desde la visión de personas que hemos venido a trabajar en la Tercera Dimensión. Muchos potenciales se están desperdiciando y perdiendo en la juventud, pues ni siquiera aquello con lo que se sentían afínes -la esencia de sus propios adultos índigo-, les resulta ya claro o humano. Hemos venido a recordar lo importante que es la vida humana dentro del proceso de la Divinidad.

¿Cuál es la Verdad?

La Verdad, es algo que muchos han buscado en su existencia. La Verdad de la que todo prende, por la que todo existe. Muchos dicen que sólo es verdad lo que se puede ver, otros que solo es verdad la composición electromagnética de las cosas, otros que lo que no se ve en realidad, es la Verdad, y dicen que nada de lo que puedas ver es Verdad, pues son todo hologramas... Otros pueden tomar el Mito de la Caverna*, de Platón, para explicar esa diferencia entre las distintas verdades.

En mi experiencia, he podido entender que todo es falso, que nada existe en realidad, por lo tanto, nada es Verdad; pero, también he visto, que son esas irrealidades las que generan la realidad, por lo que, ¿no es toda mentira, una gran verdad? La Verdad del Universo, sólo se descubre si no desprestigiamos a las demás verdades. La Verdad, está compuesta de todas las verdades, y hay una verdad por persona y por hecho, desde cada visión, ¡y todo es cierto! Todo tiene su verdad. Sólo si unimos esas verdades, y las compenetramos, las integramos como vividas, entendiéndolas desde todos sus puntos, sin descartar ni una sola por más falsa que parezca, sólo entonces reconoceremos la Verdad, y ese día, sabremos que estámos en la Gloria.

¿Por qué no todos recordamos esto?

Intenten recordar cuando eran niños e iban a tercer grado. Imagínense con nueve años, estudiando matemáticas en su clase con veinte o treinta compañeros. Están estudiando la multiplicación, 2 x 2 = 4; 3 x 6 = 18, etc. Y de repente, la maestra les pregunta algo de algebra y luego se les pide que resten 16.876 - 86.700, pero a la vez, deben saber contar y recordar cómo se llamaba el 0 y para qué servía, y cuántos dedos se necesitan para hacer el número 4, pero también te dicen que en la matemática cuántica esto es igual a esto:

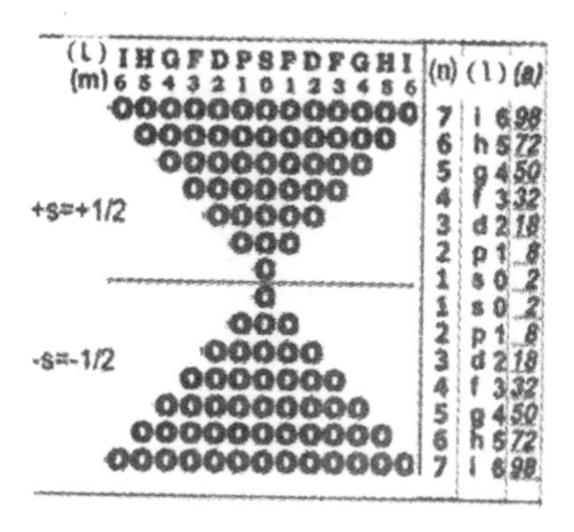

Al mismo tiempo, deben recordar no sólo los nombres de sus compañeros, sino sus DNI, los de sus padres, su historial médico, genético, su relación con ustedes en el pasado y en el futuro, mientras, deben pensar para qué van a utilizar el 2 x 2 en relación al problema cuántico, y todo eso para volver a sus casas y preguntar a sus padres de dónde vienen los bebés... Creo que mi respuesta comienza a entenderse, ¿no?

Cada vida, es como un curso de la escuela, en el que debemos aprender paso a paso. Muchos niños saben sumar desde muy pequeños, a los 3 años incluso, sin embargo, en sexto grado se les vuelve a enseñar. Y a sumar y multiplicar o dividir, se nos enseña en tercer grado, pero casi siempre, se nos vuelve a hacer practicar en secundaria, y muchos ya nos olvidamos de cómo se hacía.

En la existencia es igual, algunos nos olvidamos de muchas cosas, y debemos repetir la práctica desde cero para poder retomar lo que debemos hacer. En los mundos físicos, la conexión plena con lo que somos, con la Fuente, equivaldría a conectarnos la cabeza a una central eléctrica y dejar que toda la Internet entre y sea procesada por nuestro 10% de cerebro en funcionamiento.

Eso haría que la materia se descompusiese y estallasen nuestras cabezas.

Los que venimos con el recuerdo, sólo podemos recordar un 0,02% de lo que hay en realidad, sólo imágenes o ideas de lo que sabíamos, pues si llegásemos al 0,04% entraríamos en una crisis esquizoide. El hecho de que unos pocos recordemos, se debe a que ya habíamos trabajado con mucha información cósmica en otros tiempos y espacios, y el hecho de que la mayoría de las personas no puedan recordar, se debe a que tienen que concentrarse en lo que están aprendiendo en el aquí y ahora. Para un examen de matemáticas de tercer grado, no hace falta estar pensando en escribir sobre historia moderna, tan sólo basta con saber "multiplicar 2 x 2" para crear una gran diferencia y cumplir la misión que nos hará Ser.

EJERCICIOS SENCILLOS PARA NUESTRO CAMINO

"Sencillamente nosotros, en nuestras pequeñas acciones, creamos el movimiento de las olas de la Transformación, y es así como nuestra simple sonrisa, genera nuevas realidades.."

Aprendiendo a meditar

La meditación es el arte de ir hacia dentro, de reencontrarse con uno mismo a través del silencio. La filosofía oriental nos ha traído una amplia gama de meditaciones, la mayoría de las cuales se manifiestan en forma relajada, con ojos cerrados, en un lugar silencioso y rodeado de hermosos sonidos, visualizando bellos paisajes.

Los occidentales hemos adoptado esta forma de meditación, pero nunca logra realmente hacer que nos encontremos... ¿Por qué? Porque el occidental, está más acostumbrado que el oriental a recibir miles de estímulos externos. Oriente tuvo 5.000 años de preparación, mientras las Américas y Europa, llevan unos cien años buscándose; es un abismo.

Por eso, los occidentales no podemos buscar una meditación en silencio de un día para el otro, también por el hecho de que nuestras vidas fueron diseñadas por nosotros mismos antes de nacer, para vivir en movimiento constante. Hay diferentes tipos de meditación, y diferentes pasos para llegar a ella. En primer lugar, debe quedar muy claro que meditar, no es sinónimo de volar por el universo, meditar es buscar en el Interior, las respuestas o el equilibrio necesario. Por eso, en una meditación, nunca debemos salirnos del cuerpo, y debemos estar muy concentrados. Pero... ¿concentrados en silencio? Habrán notado que cuando uno se sienta a meditar, la mayoría de las veces son ideas absurdas las que vienen a la cabeza... y esto es porque intentamos meditar con nuestro hemisferio cerebral derecho, imaginando, "volando", pero el izquierdo, el lógico, se siente abandonado, e intenta ordenar al derecho. Es difícil coordinar ambos hemisferios para meditar, pero la mejor manera de comenzar a hacerlo es sabiendo utilizar la *meditación activa.*

Hay dos tipos de meditación: activa y pasiva. Esta última se da en silencio, cuando uno sabe qué va a buscar en su interior, y logra el equilibrio sin relacionarse en nada con el contexto. Sin embargo la activa, nos ayuda a meditar siendo conscientes de nuestro contexto, con los ojos abiertos o cerrados, pero en contacto externo; lo que muchos llaman "colgarse" o "empanarse", es meditar a la manera occidental, aunque inconscientemente.

Ejercicios

Podemos practicar esta meditación activa en un bar, o en cualquier ambiente público. Observen todo a su alrededor en silencio, hasta el más mínimo detalle, sean plenamente conscientes de su entorno, hasta fijar la vista en un objeto. Sin apartarla de él (silla, cuchara, cuadro... etc.) van a concentrarse en todos los sonidos que perciban, desde el más cercano al más lejano, asimilándolos todos en un solo sonido, incluso las conversaciones ajenas. Luego, busquen el sonido más monótono de todos, y concéntrense hasta que el objeto sólo sea una extensión de ese sonido, y no logren distinguir el uno del otro. Mantengan en ese momento una profunda y prolongada respiración.

Este ejercicio les tomará cierto tiempo, a unos más, a otros menos, pero deben saber que no importa cuánto tarden, llegarán al siguiente sencillo paso: cerrar los ojos, y buscar dentro todas las sensaciones externas. De esta forma, lo que hay fuera, les ayudará a concentrarse. El cerebro izquierdo se sentirá parte del proceso, y no un estorbo.

Otra forma, tal vez para los más jóvenes, es salir a bailar. En las discotecas, pubs, etc., con el movimiento se puede llegar a lo mismo, sólo hay que lograr el punto en que todo comienza a formar una sola cosa en la mente. La música y el baile, en casa o fuera, ayudan mucho a utilizar ambos hemisferios en la búsqueda de lo interno.

Hay muchas más formas de meditación activa, como la *escultura,* la *pintura,* la *música* (funciona más con música de estilo tribal, electrónica, trance, donde haya muchos ritmos o estos sean constantes), *la caminata, las artes marciales, el deporte, la escritura automática, el canto* (más sin palabras), el *sexo* (éste último para ser meditación no hace falta que se practique con amor, sino con consciencia plena y pura). La meditación pasiva (típica imagen de un buda meditando sobre una flor de loto), es producto de la constante práctica de la meditación activa. *"Nosotros construimos el Medio, y el Medio nos Guía."*

La alimentación

Somos un 70% *agua,* el resto de nuestro ser, lo constituyen el *aire,* la *tierra* y el *fuego.* Para vivir en armonía debemos lograr el equilibro entre estos 4 elementos que nos componen. Para esto, es primordial el *agua*. Más que cualquier otra cosa, el agua es nuestro sustento. En todo proceso, ya sea físico o espiritual, necesitamos beber muchísima agua natural. Esto purifica todo nuestro ser, en todos los niveles.

La *tierra* se refiere al ingreso de minerales: sales, hierro, magnesio, calcio, elementos que fortalecen la parte densa de nuestro ser.

El *aire* da vida a través de la respiración. Todos respiramos con los pulmones, pero nadie nos ha enseñado desde pequeños la suma importancia de la respiración abdominal. Los pulmones respiran por tres zonas: pectoral, costal y abdominal, y la más usada es la pectoral. Para que el aire nos alimente, debemos intentar, cada vez que respiramos, o al menos de vez en cuando, llenar primero la parte baja de los pulmones, la abdominal, siempre inhalando y exhalando por la nariz, liberando el aire de la misma forma, primero vaciando la parte abdominal, y luego la superior. Así se purifica nuestro sistema nervioso, y se revitaliza todo nuestro ser.

El *fuego* está presente en nuestra energía vital y en nuestro magnetismo, es la vida que adquirimos del Sol. Por eso, la última e importantísima forma de alimentación es alimentarse de la luz solar. Se debe observar al sol fijamente, teniendo en cuenta que sólo es aconsejable hacerlo durante los primeros 10 o 15 minutos en que sale del horizonte (incluyendo toda la salida) y los últimos 10 o 15 minutos en la puesta (incluyéndola), pues en esos momentos la luz no daña la retina.

Ejercicio

Si no es posible todos los días, de vez en cuando o una vez a la semana, observen la salida del sol, muy fijamente, respirando profundamente con el abdomen, los primeros 15 minutos. Luego, desayunen con un vaso de agua caliente o tibia, para purificar el cuerpo físico y después coman algunos frutos secos..

Una vez que nos acostumbremos a este ejercicio, nuestro propio cuerpo, a los segundos de acabar los frutos secos, nos dirá qué necesitamos comer, si carne, verduras, pescado, pizza, hamburguesa, pasta, o nada... Se debe respetar cualquiera de estas indicaciones.

Anclar las redes de Luz en la sociedad

Este es el ejercicio de *ser árboles.* Nos ayudará a practicar el amor incondicional con los demás seres humanos, con el medio que nos rodea, y a estar en equilibrio con él, promoviendo la iluminación de todo lo que hay alrededor, pero sin esperar que cambie, simplemente ofreciendo la luz y poniéndola a disposición de quien la necesite, como los árboles.

Ejercicio

Busca un lugar público, una plaza, un paseo, donde sea que lo sientas, y ponte de pie, muy tranquilamente, donde gustes. Simplemente observarás lo que te rodea, reconociendo cada uno de los colores, luces, personas, objetos... intenta sonreír y respirar profundamente cada rayo de luz con el estómago, como si fuese una gigantesca nariz. Puedes cerrar los ojos, y con cada respiración, intenta sentir, imaginar o pensar en una corriente de energía que sube por los pies, las piernas, toda la columna, por los genitales, el estómago, el corazón, la garganta y el cerebro, saliendo hacia el cielo. No dejes de pensar en esto, hasta sentirlo por completo. Si no lo sientes, practícalo varios días antes de seguir. Cuando esta corriente se sienta fuerte, hasta el punto de sentir cosquillas, plenitud, incluso mareo, comienza a respirar tan profundo que sientas que esa corriente de luz se convierte en un globo que debes inflar. Obsérvate dentro de ese globo inflándose, y permite que se llene de la luz del Cielo. Obsérvalo llenarse y bajar a la tierra. Concéntrate en tus extremidades, y visualízate como un árbol, con hojas en los cabellos y las manos; ramas en los brazos; tronco en el torso, y raíces en las piernas y los pies. Visualiza que toda la luz que respiras sonriente, ilumina la tierra. Extiende esas raíces por todo el terreno, bajo otros árboles y objetos, bajo los pies de otras personas. Dirígelas con la mirada, observa tus raíces alimentando todo a tu alrededor. No te empeñes en iluminar algo en concreto, simplemente ofrece. Cuando acabes, respira hondo llenando tu burbuja, sólo tu burbuja y tu cuerpo, retén la respiración un momento y exhala todo el exceso a la tierra. Y sigue tu camino.

De esta forma, estarás contribuyendo con el ambiente que te rodea.

Intenta hacer este sencillo ejercicio los días portal (como los 11:11) o incluso a finales de 2012 y principios de 2013. (En esta fecha, recuerda, sólo ayuda con tu luz al entorno que te rodea, no al planeta, tú colaboras con una parte, otros, en su lugar harán la suya.

La clave de todo este ejercicio es la sonrisa... Esa herramienta aparentemente tonta, moviliza todo nuestro estado anímico y hormonal permitiéndonos la iluminación... Como siempre digo: podemos hacer de todo por el mundo, pero si no lo disfrutamos o no somos felices en el intento... de nada servirá.

¿CÓMO PROTEGERNOS DE TODO LO QUE NOS RODEA Y QUE NO SOLEMOS VER?

Estamos en un período crítico con respecto a invasiones energéticas y virus capaces de desestabilizar todo nuestro sistema.

Esos virus, son conocidos como emociones ajenas, vibración densa del ambiente, estrés, el famoso "mal de ojo" (es decir, la *mala onda* energética que otro lanza hacia uno), y también cabe mencionar la presencia de entidades que nos molestan en nuestro camino, la mayoría de las cuales sentiremos a través de presión en el pecho al acostarnos, una sensación de sombras frías, etc. (hay que entender sobre esto último, que se trata de seres como cualquiera de nosotros, pero sin cuerpo, Y que, así como ocurre en la vida diaria, no pueden hacernos nada si nosotros no se lo permitimos.

Normalmente, nuestro cuerpo energético se deteriora a lo largo del día. Se corta, le entran basuritas, se le pegan residuos densos de los demás... y todo eso se va con nosotros a casa. Por eso, ya se trate de una emoción, un ser oscuro, una acción agresiva, estrés, o lo que fuere, les aconsejo hacer lo siguiente:

Ejercicio

Al despertarse darse una ducha, intentar que el agua esté lo más fresca que toleren; es un baño energético, el agua arrastra todos los iones negativos acumulados en el sueño, no hace falta usar champú... Mientras se duchan, imaginen que todo lo que esté de más sobre la piel, es arrastrado con el agua, y respiren muy profundamente, una y otra vez, inflando de luz aquel globo del que hablábamos antes. No salgan del baño hasta que no esté lleno por completo (simplemente con el fin de que su mente no se disperse y olviden el ejercicio). Intenten ser conscientes de la enorme burbuja de luz, y cuando salgan a la calle, sientan que todo lo que hay fuera, choca contra el globo y cae al suelo, como moscas, o simplemente visualicen cómo esas moscas o bichos se convierten en mariposas. Utilicen mucho la imaginación. Su mente lo entenderá, y su cuerpo reaccionará protegiéndose energéticamente. Ése es su escudo de luz contra cualquier cosa. (Que los niños tomen esto como un juego, inventen un juego al mismo tiempo que les enseñan a respirar)

Repetirán lo mismo al irse a dormir. La misma ducha, para desprenderse de todas las impurezas que se les pegaron durante el día, y al acostarse, comiencen a inflar el globo de luz muy lentamente, parte por parte, desde los dedos de los pies hasta los pelos de la cabeza, de esta forma también se relajarán con esta respiración profunda, y se dormirán cada vez más fácilmente.

En caso de que sean acosados por seres no físicos, sientan la presión en el pecho, inmovilidad o tengan visiones (algo que sucede cada vez más en niños y jóvenes) no sólo deben inflar el globo de luz con una fuerte respiración, sino que intenten envolver a ese ser o esencia dentro de su luz, para que se ilumine.

Traten de que los niños tomen esto como un juego –"perseguir al monstruo", o algo así–, para que su campo energético se fortalezca, y transforme al de ese ser en luz, pues, todos somos luz aunque en diferentes niveles; lo único que tenemos que hacer es fortalecer nuestra luz y ayudar a elevar el nivel de luz de lo que hay a nuestro alrededor. Nunca luchen, nunca peleen, nunca expulsen, en su lugar INTEGREN, UNAN, ILUMINEN.

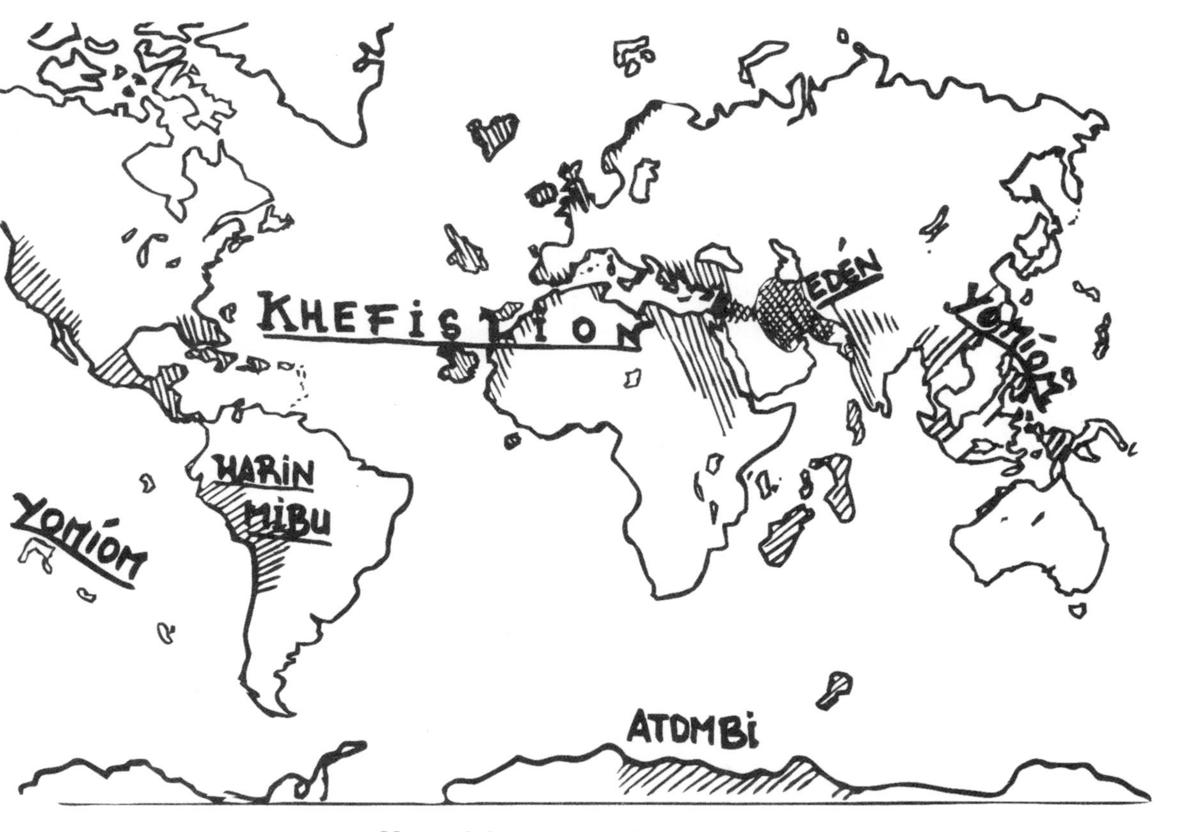

Mapa del mundo antiguo
(ver página 36)

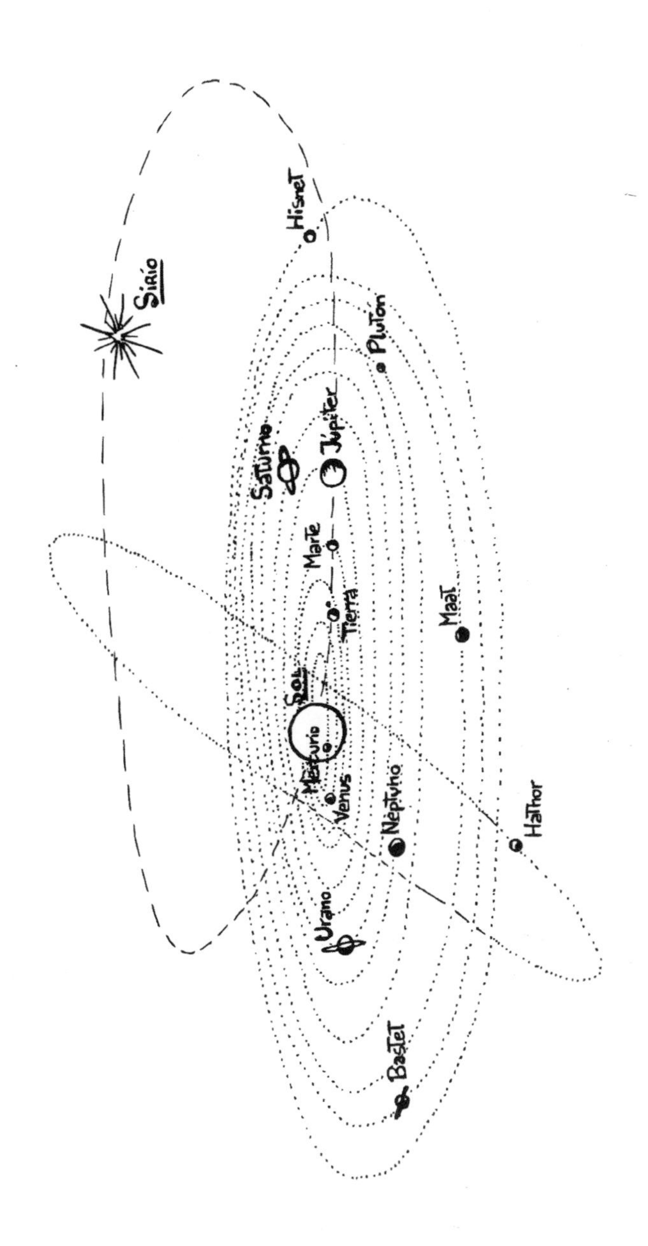

Nuestro sistema solar
(ver página 45)

GLOSARIO

ÁLMICO: que tiene que ver con las almas.

ATOMBI: (Entre-Hielos) país del 20.000 a. de C. que se asentó en la Antártida.

CHAKRAS: órganos energéticos del alma que se encuentran alineados con los órganos, glándulas y articulaciones del cuerpo físico para darle vida.

CUERPO DE DIOS: el Universo.

DENSIFICACIÓN: alteración vibracional de la energía. Cuando la energía se mueve más rápido y choca entre sí, el calor genera fuerza entre sus componentes que le dan forma y se vuelven "densos". Hay diferentes niveles de densidad, desde lo etérico o álmico, hasta la materia o el caos.

ERA DE ACUARIO: período astrológico que abarca desde el año 2012 d. de C. hasta alrededor del 4600 d. de C., en el que nuestro sistema solar pasa por delante de la constelación de Acuario y recibe su energía. Es una época en que la humanidad desarrolla la espiritualidad pura en el mundo físico, en un camino de indivualización positiva y de apertura de conciencia.

ERA DE PISCIS: período astrológico que abarca entre el año 600 a. de C. aproximadamente hasta el 2012 d. de C.

Época en que la humanidad desarrolla la conciencia de comunidad y amor incondicional. (Período de transición hasta Acuario: de 1987 hasta el 2100).

ESCRIBAS: profesión de la antigüedad dedicada a registrar todo lo que sucedía y a transcribir los libros y conocimientos para su conservación en las Bibliotecas.

ETÉRICO: nivel energético del Éter (Esencia), donde se mueven las energías sutiles de los espíritus y las almas.

HADES: dios griego de los inframundos y los muertos.

HARINMIBU: (Puertas del Sol) país que alrededor del 20.000 a. de C. se asentó en la cordillera de los Andes, en Perú y Bolivia.

IACOPTES: ver rigelianos.

ILUMINATI: (los iluminados) congregación científica creada en el siglo XVII en Italia, como organización clandestina durante la persecución a los librepensadores por parte del Vaticano. Posteriormente se convirtió en secta infiltrándose en la logia masónica con la ambición de controlar a los gobiernos mundiales.

KARMA: (*"polvo"*, en sánscrito). Todo aquello que la persona acumula a lo largo de la vida o de las vidas generando, entre muchas otras cosas, malestares y problemas o habilidades y potenciales,

KHEFISLION: (Atlántida), país del 20.000 al 10.000 a.de C. que se asentó a lo largo de las islas y costas del Atlántico medio y norte.

KUNDALINI: en la mitología hindú, Serpiente de energía que alimenta a los chakras desde la tierra hacia el cielo generando el crecimiento y la plenitud espiritual dentro de lo físico.

MITO DE LA CAVERNA: Platón (428 a.de C. - 347a.de C.), éste habla de un grupo de personas atadas dentro de una caverna que miran a una pared en la que se reflejan sombras de objetos, manipuladas por un hombre desde atrás gracias a un fuego puesto adrede, haciéndoles creer a las personas atadas que esa es la única verdad. Pero uno se escapa de la cueva y ve las verdaderas figuras del mundo real con la luz del sol, y no del fuego, y se asusta tanto que se esconde sin entender nada, entrando en el dilema de si prefiere ver esas verdades o prefiere seguir viendo las sombras de las verdades.

ORIÓN: constelación del Centauro o Sagitario, guardián de nuestro sistema solar.

PLÉYADES: constelación de siete (o doce) estrellas de la cual provienen los padres de muchas de las civilizaciones antiguas y de parte de nuestra genética.

REPTILIANOS: raza creada por los lacoptes, para obtener el control de la Tierra. Mezcla entre extraterrestres y reptiles, que dieron origen a la serpiente como símbolo de poder. Relacionados con los iluminati.

RIGELIANOS: (lacoptes) raza extraterrestre con la intención de controlar mundos con recursos.

SIRIO: la estrella más cercana. Es el sol de nuestro sol. Constelación en la que habitan algunos de los padres de las civilizaciones.

SUTIL: nivel de vibración leve, en que la vibración no genera calor ni densidad. Planos invisibles y no complejos.

URUK: ciudad y civilización de la antigüedad. Primera ciudad en el Golfo Pérsico que dio origen a Persia y Babilonia. Ubicada en la actual Irak.

VALORACIÓN PERSONAL

La intención con la cual fue escrita esta Guía Práctica es provocar no sólo la aclaración de temas fundamentales prácticamente incomprendidos por la mayoría de las personas, sino también que sea un disparador a más dudas y cuestionamientos sobre la realidad, a los cuales me gustaría responder en posteriores publicaciones.

Este libro es una simple reseña de lo que recuerdo de mi experiencia personal para compartirla con los lectores a fin de que puedan entender la visión de este adolescente sobre las realidades que nos afectan directamente.

Me gustaría que vieran este libro no como algo nuevo o interesante, sino como una posibilidad de buscar y descubrir nuevos paradigmas partiedo de mis explicaciones, para que cada uno pueda ir investigando por su cuenta.

Espero que estén dispuestos a compartir sus inquietudes sobre temas tratados o no en este libro, relacionados con la realidad humana, para que así yo pueda responder a esas inquietudes mediante nuevos libros en los que ustedes también participen con preguntas y comentarios.

ANOTACIONES

Los invito a anotar sus dudas, inquietudes y comentarios en este espacio, con la esperanza de que me los hagan llegar para poder seguir produciendo verdades conjuntamente y seguir aclararando inquietudes a nivel general, desentrañando el mensaje que a muchos nos dijo un ángel al nacer:

"Bienvenidos a la Vida... creedlo todo, mas no creáis nada..."

ÍNDICE